그녀가
공작저로
가야 했던
사정

그녀가
공작저로
가야 했던
사정

고래 만화 | 밀차 원작

9권

완결

선택

"내가 당신을 찾으러 갈게."

D&C
WEBTOON BiZ

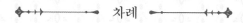

차례

24장

선택

지금 웃음이
나와?

당신한테
말해 주고 싶은 게
많은데….

이따가.

숙

저벅

히

주춤

주춤

다,
다가오지 마.

내 운명은
이렇지 않아.

싫어!!!

텁

...싫어...

왜?

이게 아닌데.

왜 이렇게
된 거지?

…지금,

지금 날 죽이면
영원히 네 몸을
되찾을 수 없어!

몸?

영원히 네 배역에서 벗어날 수 없을걸?

여신이 정한 운명이 네 뒤를 계속 쫓을 거야!

그럴지도 모르지.

내가 왜 이런 모험을 감행했는지 생각 안 해 봤어?

그 몸은, 레리아나 맥밀런이 된 순간 비극으로 끝나는 엔딩이 이미 정해져 있는 거야!

내가 아니더라도 계속 죽음의 위협에 시달리면서 살아야 한다고!!

지금 무슨 소리를….

스윽

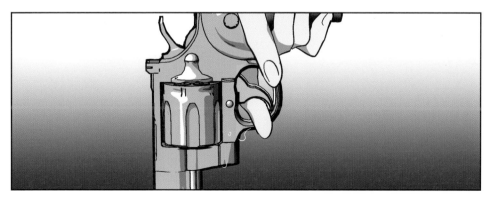

척...

…왜?

베아트리스의
모든 앞날이
적힌 책을 보았지.

마지막까지
행복할 운명인
베아트리스.

하지만….

필요 없어.

정해진
운명이라든지,

인연이라든지.

그 수많은 것들을
지금까지 얼마나
뒤바꾸었던가.

할 말 정말 많았는데,

막상 말하려니까 뭐부터 해야 할지 모르겠어요.

천천히 말해도 돼.

일단 돌아가서—

나 아까 봤어요.

레리아나 맥밀런이 검은 신녀를 만나는 장면.

한 사람이 죽어야 하는 규칙이라, 그만큼 집요하게 날 노렸던 거라고.

그래서, 죽였어요.

잘했어.

꾸욱

…네.

다그닥

다그닥

맥밀런
영애!!

어디에
계십니까!!

사악

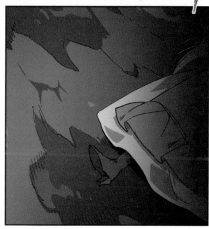

와락

미안해요.

......?

여기!

이쪽으로!

난 쓰러지기 직전까지
왕비 시해범으로
누명을 쓴 상태였고,
베아트리스는
유일한 목격자였어.

그런 베아트리스가
죽은 채로 발견됐다면,
아무리 그녀가
날 먼저 죽이려 했다 해도
정당방위로 여길
사람은 없을 거야.

이렇게까지
당신한테
민폐를 끼치게
될 줄은 몰랐는데.

민폐?

아…
쓰러진 동안
무슨 일이
일어났는지
모르고 있겠군.

레리아나.

무슨 소리
들리지 않았어?

아무도 없는데?

분명 들었다니까.

토끼 같은 거 아냐?

여긴 아무것도 없는 것 같아. 일단 늪 쪽으로 가 보자고.

알았어.

혼자 무슨 생각을 하는 건지.

뭐든 의지하면 될 것을.

더 이상은 당신에게 피해 안 가게 할 테니까.

사실을 알면 화낼 텐데.

안심시켜 줘야 하지만…

그냥 이대로
도망쳐도
괜찮지 않을까.

당신은
아무것도
모르는 거예요.

돌아가서
전혀 모르는
일이라고 해요.

그게
무슨 소리야?
당신은?

저는 일단
여길 빠져나가서
숨어 있을 거예요.

성하께
연락이 닿을 때
까지는.

혼자?

네. 미안해요. 이렇게 될 거라고는….

…그래서?

어떻게 하겠다고?

혼자….

응?

왜 갑자기
화가 났지?

아까까진
괜찮았는데!

지금 와서
생각해 보니
정말 다 나 때문인 것
같아서 그러나?

뭘 해도
전부
괜찮은데.

누굴 죽여도
되고,

어떤 죄를
지어도 돼.

혼자
도망갈 생각만
안 하면.

같이
도망갈까?

네?

남쪽에
괜찮은 섬이 있는데,
바다가 깨끗하고
별장이 아름다워.

우리 가문
소유의 섬이라
허가받지 않은 이들은
누구도 올 수 없어.

어떤 범죄자가
그런 곳에
숨어요.

우리가.

타다닷

레리아나!

성하…?

할아버지다!

늦으셨습니다.

네놈을 처단하기엔 아직 늦지 않았다!!

서, 성하….

이제, 허억, 맥밀런 영애도, 헉, 찾으셨으니, 이제 그만….

너 때문에 늦은 게 아니냐!

네가 내 뒤를 금붕어 똥처럼 쫓아다니니까!

죄, 헉, 죄송.

죄송합니다. 허억….

대체 이게 무슨 일이야?

중얼..

…조금만 더 늦게 왔으면….

네? 무슨 말 했어요?

생긋

응?

그녀가
공작저로
가야 했던
사정

…그러니 이제
걱정할 것 없다.

……

왜
그러느냐?

달라진 것이
하나도
없어서요.

변한 것이
아무것도 없어.
내심 뭔가가
달라지는 건 아닐까
걱정했는데.

사실 다
무언가에
홀린 거고…

여전히 아무것도
끝나지 않은 건
아닐까?

손 좀
내 보거라.

슥

스르륵..

간지러워요.

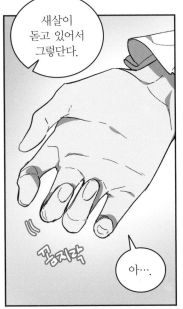

새살이
돋고 있어서
그렇단다.

아….

이제 실감이
좀 드느냐?

…네.

흉터는
안 남습니까?

내가 누군 줄 알고
그런 아둔한 질문을
하는 게야?

죽은 이도 살려 낸다는 히이카 데민트 대신관 성하가 아니십니까.

넌 그냥 말을 마라. 짜증 나니까.

그, 그런데…

여긴 어떻게 알고 오신 거예요?

아, 그건.

체이머스의 왕이 게이트를 연결할 수 있도록 협조해 달라며 막무가내를 부렸다는 이야기를 듣게 돼서 말이다.

예상보다 빨리 도착할 수 있어서 다행이었지.

그보다, 너는 애를 어떻게 데리고 있었기에 이렇게 만신창이야?

……

이거 봐라. 저놈은 네 일생에 도움이 안 돼.

아까도 덩치는 산만 한 것들이 똥 마려운 개처럼 모여서 아무것도 못 하는 걸 네가 봤어야 했는데.

아, 그러면…

당신은 다 알고 있었던 거네요?

응?

아까 섬으로 가자고 했던 그─

깨

컵이 깨졌군. 시녀를 불러야겠어.

내가 얼마나 걱정을 했는데!

어떻게 그 순간에 섬으로 가야겠다는 생각을 해?

40

섬이라니?

노아,
목말라요.

여기.

…다음에
여유가 생기면
섬으로 여행을 가자
했었거든요.

아니,
생각해 보니
물보다 차가
좋을 것 같아요.

꾸벅

실례합니다.

차를
가져오게.

등에
쿠션이
불편해요.

삥…

착

아니,
그거 말고요.

사삭

도망? 남쪽에 있는 섬?

내가 얼마나 마음을 졸였는데.

장난이었어.

말 잘 들어요. 여차하면 납치 미수라고 다 불어 버릴 거니까.

나야 언제나 당신 말은 충성스럽게 잘 듣지.

그런 충성이 어디 있다고?

도대체 언제 말해 주려고 했어요?

바로?

거짓말.

정말이야.

하아

이번만
봐준다.

부디 어린 나이에
먼저 떠나간
제 딸의…

안녕을
빌어 주십시오….

바쁜 와중에
참석해 주신
여러분께,

우선
감사의 말씀을
드립니다.

레리아나 양.

와 줬네요.

당연히
그래야죠.

정말
미안해요.

네? 갑자기
뭐가 미안하다는
거예요?

비비안이
한 일들에 대해
사과하는 거예요.

그 애는 제
동생이니까.

그냥,
다 미안해요.

이것저것
변명할 거리도 많이
생각했었는데….
얼굴 보니까 차마
말 못 하겠네요.

비비안에게
좋은 감정이
있는 건
아니었지만,

장례식에서
그 가족의 사과를
당연하게 받을 정도로
악감정이 남은 것도
아니야.

저스틴!
네 차례다.

예.
금방 가요.

소근

무슨 얘기
했어?

고맙다고요.

고맙다고?

제가
비비안 샤말을
살해한 범인을
죽였으니까요.

저기 좀 봐.

블레이크 공작 아니야?

여기가 어디라고 뻔뻔하게 낯짝을 들이밀어!!

내 딸이 누구 때문에 그리됐는데!!

두리번

나가!! 당장 나가!!

크

장례식 후,
재판이
이어졌다.

어린 소녀에게 휘둘렸던
그의 지도력에 대한 의심과
노아의 뒷공작으로 인해
애런의 세력은
반 토막이 났고,

더군다나 고위 귀족이
재판을 받는다는
이례적인 상황 때문에
며칠간 왕국이
그의 이름으로
떠들썩했다.

애런은 이 일을
조용히 묻고 싶어
애가 닳은 상태였고,

그런 애런에게
합의를 제안한
결과…

정말 잔뜩
뜯어낼 수 있었다!

그렇게
뜯어낸 것들 중에
애런의 사유지 일부와
별장이 포함되어
있었는데….

어, 여기
열차 개통식
하던 곳이네요.

가 보고
싶다….

와아

후욱

구경 좀 하게
내버려 둬요.

여기서도
보여.

잘
안 보인다고요!

그렇게
시력이 안 좋으면
안경이라도
맞출까?

당신만 옆에서
떨어지면
안경은 필요 없어요.

53

끼응

저 책은….

전에 당신이 보던 책.

로맨스는 안 본다면서요.

그냥.

슬금

악!

덜컹

덜컹

우두둑

안 불편해요?

편해.

…내 머리를
받침대로 쓰지
말아 줄래요?

고려해 보고.

왠지 갑자기
긴장되는데.

노아.
지금 가는 별장,
어떤 곳이에요?

직접 가 본 게 아니니
잘은 모르지만,
암암리에 별장 주변이
절경으로 유명하다는
이야기를 들었어.

애린이 상당히
아끼는 곳이었다고
하더군.

그럼 매매가는요?
혹시 그때
들었어요?

매매가는 왜?
팔 생각이야?

꼼지락...

네. 사학 재단을
하나 만들 생각인데,
거기 보낼 수
있을까 해서요.

학교를
세우고 싶어요.

굳이 팔지 않아도 돼. 원나이트 가에도 그 정도 재산은 있어.

돈 걱정을 할 줄은 몰랐는데.

뜯어낸 돈은 공돈 같아서 부담 없이 굴릴 생각이었다고요! 가문의 재산이 들어갔는데 망하면 어떻게 해요?

내가 또 벌어서 채우면 돼.

많이?

많이.

능력 있는 예비 남편을 둬서 다행이네요.

그러니까 걱정 말고 하고 싶은 대로 해.

늦지만 않는다면.

매일 늦는 건 노아잖아요.

그건….

아이고오오― 너 때문에 내가 늙는다, 늙어. 사랑에 미쳐서 이 형에게 그리 모질게 굴고 밤이 넘어가더냐―!

동생 키워 봤자 다 소용없다. 홀랑 잊어버리고 형에게 협박이나 하고, 아이고오―!

이런 좀스러운 모습도 이제 귀여워 보이니 콩깍지가 단단히 쓰였지.

기특해라.

열차 안에서
뭘 하려는
거예요!!

아~.

그런데
사학 재단은
갑자기 왜?

거창한 생각은 아니고요.
그냥 여자가 다닐 수 있는
아카데미를 만들고 싶어서요.
로즈마리가 무시당하는 건
싫으니까.

여자가 갈 만한
고등 교육 기관이
국제 피아트 신학교
하나뿐이잖아요.

그 덕에
전 세계에서 몰려들어
경쟁률이
어마어마하고요.

또, 전생에서는
교사가 되고 싶기도
했고…

이제는
이 세계에 적응하고
다른 미래를
그려 보게 되었지만.

당신이 교사가 되고 싶어 했을 줄은 몰랐는데.

저 공부 열심히 했어요.

교대에 합격도 했는—

교대?

…어? 생각해 보니 그때 그 전화…

여신이 합격시켜 준 건가?

그게 아니었다면 원래는 계속 재수생 신세?

아냐, 타이밍이 그랬을 뿐이야.

여신이 아니더라도 전화는 왔을 거야.

그럴 거야⋯.

덜컹

덜컹⋯

끼이익⋯

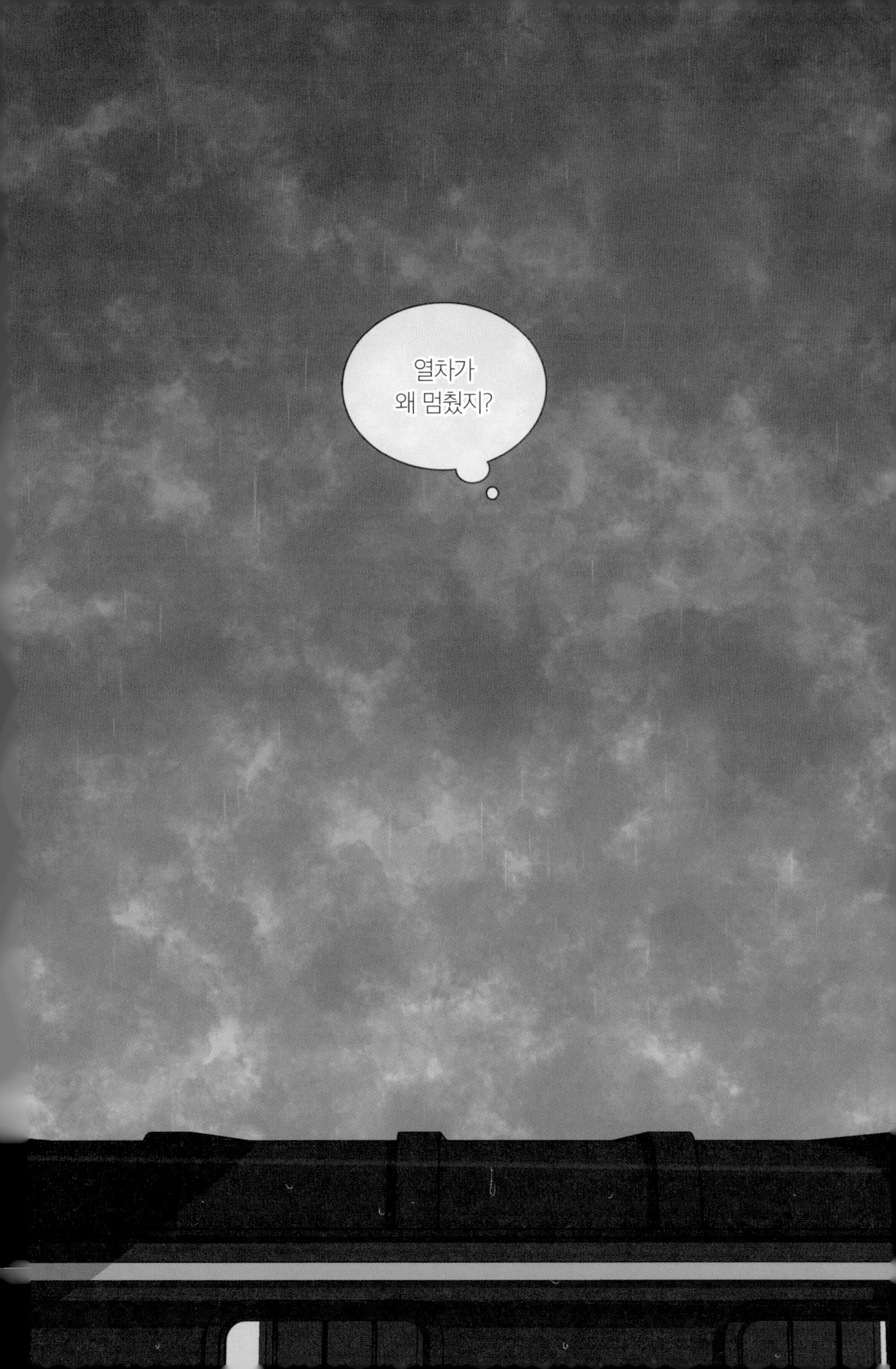
열차가
왜 멈췄지?

덜커덩

끼익…

눈이
비가 됐네.

레일 문제로
자꾸 멈출 수밖에
없나 봐요.

오늘따라
날씨가
돕질 않는군.

도착하면
그치지
않을까요?

뚝 뚝
ㅌ

아이가 많이
추워해서요.

그렇게 하세요.

몸이
많이 차네.
이름이 뭐야?

에밀리예요.

에밀리,
예쁜 이름이네.

후

아냥냐
후

뭐야?

말하지 마요!

알았어, 말 안 할게.

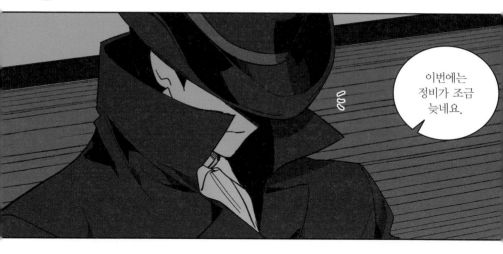

이번에는 정비가 조금 늦네요.

꾸덕

테일러 경만큼 말이 없는 사람이네.

어쩐지 노아를 계속 응시하는 것 같고….

잠깐 기다리고 있어.

나가 보려고요?

응. 금방 올게.

속

아버지께서 나가 보시려나 봐. 에밀리는 언니랑 있자.

네?

우리 아빠는
지금 밖에
있는데.

뭐?
그러면
저 사람은….

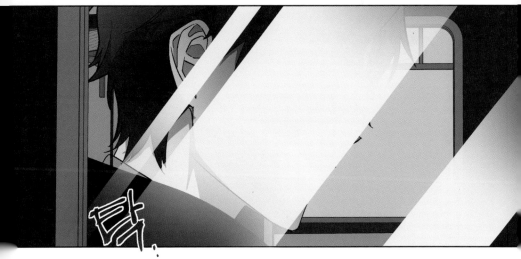

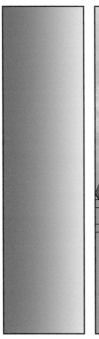

차체에
결함은 없는데,
바퀴가 얼었는지
움직이지 않는다고
하더군요.

곧
움직이겠네요.

비가 눈을
다 녹여 버렸군요.

레일에 쌓인 눈도
다 녹았을 테니,
열차 운행은 수월해지지
않겠어요?

그 기사가….

기사?

레리아나가
좋아하는 책에 나오는
주인공입니다.
그 기사가 눈밭에서
청혼하거든요.

아쉽게
됐네요.

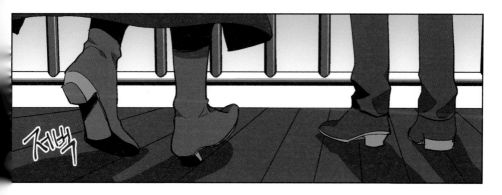

저벅

그녀의 이야기는
새로 쓰셨습니까?

내가 왜?

지금의 레리아나는
당신이 보고
싶어하는 장면과
다르지 않습니까.

뭐, 자기 앞길은
자기가 알아서
가린다잖아?

너는
아쉽지 않나?
그녀가
베아트리스로
변하지 않아서.

베아트리스가
되길
포기했으니까.

흐음~

아쉬울 게
뭐 있습니까.

내가
여신이라는 건
어떻게 알았어?

감이
좋은 편이라는
소리를
자주 듣습니다. ^^

그래?
난 눈치 빠른
남자는 싫더라. ㅎㅎ

그건 좀
아쉽군요. ^^

그럼 이제
그녀가 이야기를 바꿔도
그냥 두실
생각이십니까?

75

탕—

뭘 해도
열리지 않을 테니
그만해.

흠칫

에밀리와는—

네 연인이
날 그냥 객실 안으로
들여보내 주지는
않을 것 같아서.

미안하지만 잠시
일행인 척한 것
뿐이야.

노아에게는요?

마찬가지로.

잘 지냈어?

여긴 무슨 목적으로 오신 거죠?

글쎄다. 네게 그걸 말해 줄 만큼 내가 친절하진 않거든.

그래, 이왕 몸을 빌린 김에 질문이라도 하나 받아 줄까?

한 가지, 묻고 싶은 게 있다면 답해 주지.

음, 그런 안부를 물을 사이는 아닌가.

무슨 속셈으로
이곳에-

그건 알려 주지
않겠다고 했잖아.
나에 대한 건 말고…

가령 말이야.

'이전 세계로
돌아갈 수 있는가?'
같은 질문은
어때?

움찔

가족들,
보고 싶지 않아?

그럼.

원래 세계로
돌려보내 줄 거라
통보할
생각이십니까.

저 애가
돌아가길
원한다면?

쯧

레리아나는
여신의 정체를
아직 모르는
눈치다.

자신을 원래
살던 세계로
돌아가게 해 줄
유일한 길이라는 것도.

그렇다면 지금,
레리아나를 데리고
먼 곳으로
떠난다면 어떨까.

이번에야말로
레리아나가
눈치채지 못하게.

여신마저
찾아오지
못하는 곳으로.

네.

알려 주세요.

이 세계에
넘어오지
않았다면,

질문은
그건가?

저는

그냥 재수생이었던 건가요?

역시!

…합격 전화는 왔을 거야. 난 그걸 알았을 뿐이고.

묻고 싶은 게 정말 그거야? 그럴 것 같진 않은데.

아.

얼마 전까지는 묻고 싶은 질문이 달랐을 수도 있지만.

죽음을 예감한 그때,

당신을 생각했다.

가족들의 안부가 궁금하긴 해요.

빙글

그래도 이제는...

이제는 노아가
없는 세상에서
살아가는 것은
상상만으로도
힘들어요.

철없고,
당장 눈앞만 생각하는
어리석은 선택일지
몰라도.

후회하지
않겠어?

그런 날이
있을지도
모르죠.

네가 그렇다면
그런 거겠지.

궁금한 게 하나 있는데.

아까 에밀리가 귓속말로 뭐라 한 거야?

아, 그건.

노아가 왕자님 같대요.

푸흡

맞는 말이잖아요. 전직 왕자니까.

누가 제 얘기를
하는 것 같은
느낌이 들어서
말입니다.

......

왜?

아뇨.

너 정말...

감이
짐승 같구나.

칭찬으로
듣겠습니다.

뭐,
걱정할 일은
없겠네.

네 연인은
너를 두고
원래 세계로
돌아가고 싶은 생각이
없다고 하네.

다시…

한 번만
말할 거야.

그보다, 오늘은
이것 때문에
온 거야.

뒤적

덜컹...

사근

이전 세계에서
네 가족과 친구들은
모두 잘 지내고 있어.

궁금한 것을
알려 줬으니
특별 서비스지?

저벅

노아.

무슨 일 있나?

왜 그렇게
웃어요?

지금
깨달은 게
있는데.

나는 당신한테
첫눈에
반했던 것 같아.

당신이 나를
찾아왔던
그 순간에.

영원히
지지 않는 장미가
흐드러지게 핀
정원에서,

날 똑바로
바라보는
당신의 눈이
좋았어.

덜커덩

덜커덩

곧
도착하겠군.

저기야.

별장이 아니라
꼭 성 같아요.

애런이
아까워했을
만 해.

저건
못 팔겠네요.

꽈
악

휘
이
잉

추워….

훌쩍

이건…?

아까 읽던 책은
객실에 두고
왔는데?

…책.

여신.

설마….

이 책, 어디에서 난 거예요?

당신이
어디에 있게 될지
알려 줄.

지도야.

갈까.

지금은
그저 내내 둘이서
행복한 시간을
보내고.

지금으로부터
아주 오랜 시간이
지나고 나서.

다음 배역을
준비하는 때가
되면.

여신이
당신의 영혼을
거둔 후,

다음 번,
당신이 모든 것을 잊고
나를 모를 세계에서는…

내가 당신을
찾으러 갈게.

그녀가
공작저로
가야 했던
사정

25장

프러포즈

와아….

예쁘다.

파도 소리도
들리고,

침실도
예쁘고.

한 가지….

고립됐다는 점만
빼면….

그칠 기미가
안 보이네.
고용인도 없고.

노아!

방에 있지, 왜 나왔어.

많이 춥죠?

밖은 어때요?

눈이 많이 쌓여서 아마 하루 이틀은 아무도 못 올라올 것 같아.

사람들이 올 때까지 기다리는 수밖에 없겠어.

둘만?

싫어?

싫다는 게 아니라….

그럼, 들어가지. 감기 걸려. 당신이 아프면 내가 또 혼나잖아.

탁

타닥

좋다~.

이렇게 아무 걱정 없이 누워 보는 게 얼마 만이야.

좋긴 좋은데…

왠지 사육당하는 것 같아…

이런 건 다 어디서 난 거예요?

주방에 있었어.

그래요? 사람도 없는 별장에? 이상하네.

애런이 다녀간 지 얼마 안 됐을 수도 있고.

그런가….

뭔가 따뜻한 거라도 마시겠어?

아니, 내가 갈게요. 뭐 먹고 싶은 거 없어요?

딱히?

생각해 봐요.

물?

그거면 돼요?
알았어요.

잠깐만.
밖은 추워.

여기에만
틀어박혀 있으니
게을러지는 것
같아서 그래요.

끄으응

그럼
가위바위보 해서
다녀오기로 해요.

가위바위보?

뭔지 몰라요?

뚱...

끄덕

규칙 설명중...

그러면,

진 사람이 다녀오는 거예요.

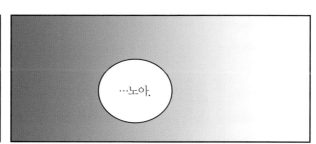

...노아.

말했잖아.
먹을 수 있다고.

…그랬나요?

117

안 돼요.

당신은
날 너무 괴롭혀.

그럼···.

가위바위보로?

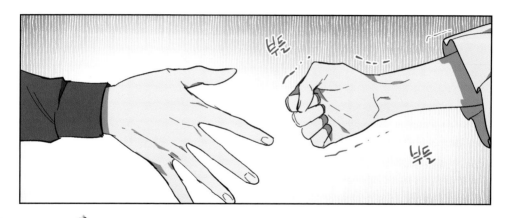

15패

사기꾼—!!

한 번 더?

15승

날 속였어!

뭔가 하지
않고서는
이렇게 내리
이길 리가
없어요!

그럴 리가.
운이 좋았어.

119

난
가위바위보라는 것도
오늘 처음 알았는데
대체 뭘 어떻게 하겠어.
안 그래?

맞는 말이다...

당신이
원하는 만큼만
할게.

천연덕

참을 수 있다면.

주문한 대로
잘 준비되어
있군.

레리아나가
창문 밖 보기를
좋아하니
풍광이 아름다운
곳으로.

대신 창 틈새로
바닷바람이
새어 들지 않게.

소파에 앉기보다
침대에 눕는 것을
좋아하니,
시트는 부드럽고
푹신한 걸로.

식사보다는
간식을 선호하므로
간식거리를
다양하게 준비할 것.

과일을 잘 먹지만
건포도는
싫어하니 제외.

마지막으로,
조용한
고용인들.

부스럭

...짐승...

그래서 싫어?

......

조금 싫어졌어요.

아닐걸.

힘들어~.

아, 그만해요!!

날도 갰는데 산책이나 나가자고요!

힝

이거?
아니면 이거?

무슨
차이지?

그럼 지퍼 좀
올려 줘요.

그래.

간지러워요.

그리고…
당신은 이거.

꽃분홍이
목도리~~

추울까 봐
특별히
매 주는 거예요.

뭐야…
어울려서
별로야…

쓱…

됐어요,
다른 걸로
해요.

누구 애인인지
잘생겼네.

피식

가요.

탁

생각보다는 눈이 안 쌓였는데요?

그새 녹았나 보군. 어제는 많이 쌓였었는데.

그래요?

그럼 오늘은 왜 아무도 안 왔지?

그러게.

사고라도 있었나.

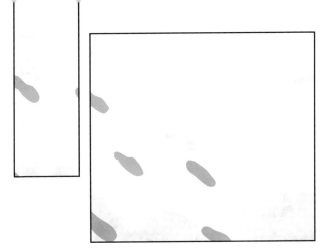

어!

여기 있어.

그게 뭐야?

노아
원나이트.

나?

네.

나?

네.

이 꿍꿍이
가득한 눈이랑
가식적인 미소가
포인트라고요.

Noah

어쨌든 이건
노아
원나이트예요.

그거 줘 봐.

이거요?

이거 좀… 창피해.

ㅎ앙ㅎ앙

그럼 그대로 있어.

당신 얼굴은 눈 감고도 그릴 수 있으니까.

그림 배웠어요?

왕족이거든.

뭐든 잘 해내야 하는 아주 높은 자리지.

아, 그러셨지.

Rachiana Knight

푸흡

아하하하

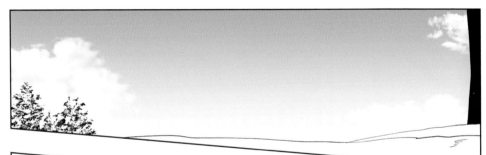

노아,
저거 봐요.
동백이에요.

꽃잎이
떨어진 걸 보니
근처에 있으려나?

찾으러
가 볼래요?

압화로 책갈피를
만들어도 좋겠다.
노아는 책을
많이 읽으니까
선물하면….

어라,
이 장면.

어디선가….

기사가
고백하는 건
봤어요?

빨리 봐요.
진짜 설레더라.

"마음에
드십니까?"

그걸 다
기억하고
있었구나.

어쩐지, 열차에서
안 보던 책을
읽더니만.

레리아나.

저와 평생을
함께해
주시겠습니까.

좋아요.

그녀가
공작저로
가야 했던
사정

전하.

지금 수도에서 무슨 소문이 도는지 아십니까?

글쎄다.

내가 알았으면 자넬 여기다 앉혀 두고 채근하고 있진 않았겠지.

그러시겠죠…!!

그러니 빨리 말해 보게.

그게….

꿈지락

실은, 전하께서… 그….

140

밤에… 문제가 있으시다고….

고작 그거야? 난 또 뭐라고. 아니니까 됐어.

전하의 소문이 도는데 고작이라뇨?

확인해 볼 텐가?

어떻게 그런 말씀을!!

우악

농담이니 그렇게 놀라지 마. 뭐… 근원지가 어디인지도, 이유도 알겠어.

내가 다른 사람을 마음에 둔 걸 썸머가 알았거든.

47화 참고

다른 사람?

......

나오미.

더 이상한 건
전하이신데도요?

그것보다 말이야,
나오미가 이상해.

얼마 전에
청첩장 때문에
왔거든.

그 자리에
나오미도 있었고.

둘이 저택으로
돌아가고 나서
청첩장을 들여다보던
나오미가…

꿈을
꾸셨구나!

오브라이언 백작은
평생 세 번 울
사람입니다!
태어났을 때,
부모님이
돌아가셨을 때,
왕이 바뀔 때!

마지막은
기뻐서!

그러니 문득 그런 생각이 든 거지.

나오미가 노아에게 호감을 가지고 있었던 게 아닐까, 하는 생각이.

그런 (터무니없는) 생각을 하고 계셨군요.

잘 보십시오, 전하.

제가 보기에 나오미 님의 호감도 순위를 직관적으로 표현해 보면 이렇습니다.

원나이트 공작님은 이 정도 위치에 계십니다.

저건?

이건 장구벌레입니다.

그럼 나는?

여기쯤…

이, 쯤?

자네 말은 나오미가 나보다 장구벌레를 더 좋아한다는 게 아닌가? **사형.**

전하!!

모르는 거지, 사람 마음이란….

진지하게 그럴지도 모른다 생각하시는 건가.

저희 큰누님께서 말씀하시기를….

남자가 여자에 대해 어떻게 생각하든, 하여간 남자가 생각하는 건 다 틀렸다고….

오브라이언
백작에게
직접 물어보시는 건
어떻습니까?

이게 얼마 만의
휴가야.

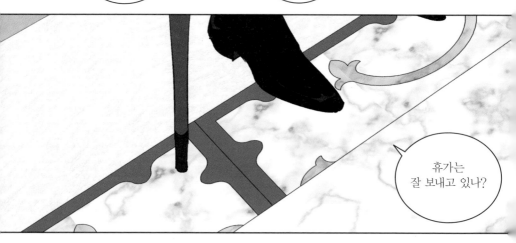

전하.

드시겠습니까?

술?

마셔야 할
기분이라서
말입니다.

나 때문에?

오해십니다.

…….

어쩐 일로 왔는지
묻질 않는군.

대충
짐작은 갑니다.

5년 정도
수발을 들면
그 정도는
알게 되죠.

수발이라니…

무슨
생각하시는지
아는데,
아닙니다.

울었잖나.

제가요?
뭘 착각하신 게
아닙니까?
피곤해서 눈이라도
닦았으면 몰라도.

…내가 갑자기
이상하게 군다고
생각해?

이맘때면 늘 그러시지 않습니까.

윈나이트 공작님을 원망하지는 않으십니까?

원망해.

매일 밤 그 자식 목 조르는 것만 생각하지.

원망 안 하시는군요.

그냥 살다 보면 불현듯 깨달음을 얻을 때가 있잖아.

내게는 그때가 내 동생을 원망하지 않을 때였던 거겠지.

아, 가끔 질투는 해. 노아는 걷는 것도 잘생겼거든.

공작님이 전하께서 왕이 되도록 물심양면으로 도왔기 때문은 아니고요?

...어딘가에 말로도 사람을 죽일 수 있다는 격언이 있지 않나?

다음 성혼은 어떻게 하실 겁니까?

글쎄, 다시 적당한 가문을 찾아야겠지.

그래도 좋으십니까?

할 수 없지. 결혼도 내 일이니까.

왕은 사랑하는 사람과 결혼하면 안 됩니까?

그러면
선왕의 선례를
따르겠지.

지금도 정신을
못 차리는데
말이야.

?

......
나오미, 내가
왕이 아니었다면
말이야.

꿈 깨십시오.

전하의
유일한 장점이
높은 지위이니,

물에 빠진 사람이
지푸라기 잡는
심정으로
절박하게 사수하시기
바랍니다.

...나오미, 나도
물어보고 싶은 게
있는데.

예.

장구벌레랑 나 중에 하나만 선택해 보게.

꼭 그래야 합니까?

당연히 장... 전하시죠.

내가 잘못 들은 건가?

'장...'이라고 하지 않았어?

예, 잘못 들으셨습니다.

역시 잘못 들은 거겠지.

네. ^^

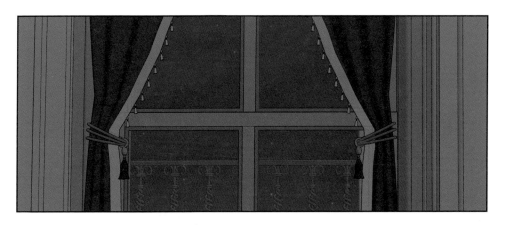

…노아?

깼어?

몇 시예요?

2시.
다시 자.

됐어요.
나 자고 있으면
늦게라도 깨우라고
써 놨잖아.

당신이
침까지 흘리면서
곤히 자니까
깨울 수가 있어야지.

?!

…안,
안 속아요.

속았으면서.

아,
브로치 받았어요.
아침에.

응.

이제
주지 마요.

왜,
마음에 안 들어?

그런 게
아니라요.

요즘 바빠서
통 신경을 못 쓰니까,
그게 미안해서
주는 거잖아요.
나 달래려고.

그렇게 뭐든
돈으로
얼버무리려는 건
나쁜 습관이에요.

음.

모르겠어요?

응.

157

내 기분이
나빠 보이면
뭐 사 준다고 하고.

심심하면 사 준다고
하고.

그냥 사 준다고
하고.

휴….

모르겠으면
그냥 내가
시키는 대로
해요.

어떻게 하면
되는데?

일단!

집에 왔을 때 내가 자고 있으면 깨우는 거죠.

그리고?

그리고…

씨익

하루 종일 당신 얼굴을 못 봐서 힘들었어요. 라고 말하는 거예요.

그게 끝?

해 봐요.

얼마든지.

하루 종일
당신 얼굴을
못 봐서
힘들었습니다.

와락

저도요.

후흑

왜 웃어요?

계속 자는 모습만 보다가 눈뜨고 말하는 거 보니까 좋아서.

그럼 자는 거 보지 말고 깨우라고요…

어떤 모습으로 자고 있을지 두려우니까…

그런데 왜 매일 그렇게 바빠요?

휴가 쓴다고 했으면서. 무슨 큰일이라도 생겼어요?

그냥, 이맘때는 그래.

이맘때?

오늘 여기서 잘 거예요?

응.

아예 당신 방을 옮길까?

어디로요?

내 방으로.

벽 틔우고 가구 배치 좀 바꾸면 둘이서 지내도 불편하지 않을 텐데.

그 방 충분히 큰데요.

당신 옷이랑 다 옮기려면 더 커야지.

옷이 많긴 하죠.

누가 주기적으로 공방에서 사람을 불러 준 덕에.

아 하 하

꾸욱

아, 그런데.

방 개조한다고 하면…

주르륵

기디언, 울지 않을까요?

기디언은
괜찮아.

회유할 수
있어.

오…
자신만만하네요.

무슨
근거로?

서재
가 봤지?

그야
가 봤죠.
서재는 갑자기
왜….

핫

서재가 개조한 거구나!

응, 이미 회유해 봤어.

그럼 방 개조 끝날 때까지 여기로 와요.

아하하

피식

아, 그런데.

춤바람은 바람이 아닙니다.

아담이랑 무슨 일 있었어? 이상한 소릴 하던데.

저는 춤바람이 난 겁니다.

오늘, 결혼식 춤 연습을 테일러 경이 도와줬거든요.

능숙해지니까 재미도 있고 해서, 가볍게 한 말인데….

이러다 춤바람 나겠어요.

결혼 기념 선물 모금에 돈 내라고 한 지가 언젠데,

도박을 해?

짜아악

아악

아니, 잠깐만!

잠깐만 기다려! 오늘은 진짜 된다고 붉은 신녀가…!

언제까지 그런 사이비에 휘둘릴 거야?

세상에는 진짜가 있다니까?!

이게 다…

169

빨래를 널면 비가 오고, 새 신발을 신으면 진흙탕을 밟고,

그 말 때문에⋯!!

장롱에 부딪히면 새끼발가락이고.

기사 양반한테서 이런 암울하고 먹구름 긴 미래가 보여.

그딴 건 내 알 바 아니고, 빨리 내는 게 좋을걸.

오늘까지 내지 않으면 매달아 버리기로 했으니까.

매달아? 어디에?

슥

어떻게든
돈을 구하자…

※ 도박은 인생을
망치는 지름길입니다.

테일러 경,
결혼 선물은
정하셨습니까?

선물…

이참에
끌어들여서
내 몫까지
내게 해야지.

꿍꿍이가
있군….

아아악

이거…
그거지
않습니까?

그게 뭔데?

설마 또
드래곤을
잡으러…?

테일러 경.

그런 건….

'선물'이 아니라
'재앙'이라고
합니다.

주는 사람에게
악의가 없는 건
알고 있지만…

받는 사람은
기절한다고!

길고양이가
물어다 준
죽은 쥐처럼…

이미
비슷한 걸
가져다 줬는데…

뭐야?

대체 뭘
준 건데?

재앙?

그걸 왜 가져다 줬냐고?

당연히 놀리려고 그랬지.

비가 와서 결국 실패했지만.

앤슬리가 잘 몰라서 하는 말이야.

레리아나는 그런 걸 좋아해.

재앙을?

그러지 않고서야,

175

그런 자수를 놓을 리가 없지.

······!!

······.

네?
휴가 썼어요?

저 집에
가 있기로
했는데요.

⋯⋯⋯.

그럼 나도
같이⋯.

단호

공작님께서
기별도 없이
함부로 찾아오시면
안 되죠.

탁

준비도 안 했는데
막 부른다고
어머니께 혼나요.

그럼 가서
말은 해 둘게요.

한 3일 후에
오세요.

......

채비해.

해시랩
계곡으로
간다.

갑자기
해시랩 계곡에는
왜 가려고
하십니까?

빙끗

용 잡으러.

네, 한 3일 후에요.

공작님께서
오신다고?

그래?

미리 준비 좀
해 놔야겠어.

별떡

공작님께서는
바쁘지도
않으시대?

쿵사덩

조금
짬을 내서
오신다고….

바쁘다면
군이 그러실
필요 없는데
말이다.

쿵사덩

안 와도 돼.
그래, 결혼식 때만
봐도 괜찮으니까.

여보,
내일부터
준비해요.

천천히 해요,
바로 오신단
것도 아닌데.

여보?
그건 나한테도
안 내놓던
접시잖아요. 여보,
그건 안 돼요!

언니.

아빠는
왜 삐친 거야?

아버지께서는
아버지의 자리를
지키고 싶으신
거야.

공작님이
아빠의 자리를
노리고 있어?

아니,
그렇지는
않지.

181

그때도
저기에
서 있었나.

끄덕

왕위 후계자에
대한 문제는
주기적으로
수면 위로 떠올랐다.

당사자가
원하지 않아도
첨예한 대립이
끝없이 이어졌다.

18세가 되던 해,
도망치듯 참전한
전쟁에서
가장 처음 맡은
임무는
해시랩 계곡의
생존자
구출이었다.

먼저 파견되었던
부대는
적군의 함정에
휘말렸기에,

신참 지휘관은
최소한의
인원만 데리고
계곡으로 들어섰다.

그리고
거기서
본 것은….

괴물….

마음에 드는
호칭이야.

왕자
저하!

그러고 보니
부대에
그런 녀석이
있다고 했지.

그런
괴물이라면….

총알받이로는
쓸 수 있겠지.

받아.
레리아나가
전해 달라던데.

총알받이는
무슨.

단것 좋아하는
어린애지.

펄럭

아,

여기에는
정말로 있군.

이참에
싹 갈아야겠어.

봄이니
단장을
해야지.

소파도 바꾸고,
커튼도 다른 색으로
다는 게 좋겠다.

역시 3일 정도
기한을 두길
잘했어.

결혼은
역시 봄에
해야지.

그러고 보니
드레스는 어떻게
하기로 했니?

약혼식 때
맡겼던 곳에서
하려고요.

거기
마리 웨인 공방
아니니?

대기 기간만
몇 년은 된다고
들었는데.

역시
돈과 권력은
있으면
있을수록…

좋….

왜 그러세요?

아는
분이세요?

흠칫

옛날에 말이야.
네 엄마가 아빠 말고
좋아했던 사람이
있었거든.

설마,
돌아왔나?

꾹

어?

어머니의
첫사랑이라기엔
너무 젊어.

무슨
일이시죠?

아니,
그게….

사람을,
잘못 본 것
같네요.
죄송합니다.

정말
죄송합니다.

레리,
왜 그러니?

아는 사람
아니었어?

사실은
저번에
아버지가….

그, 그게….

뭐?

그 사람,
벌써 어디선가
객사했을걸?

…네?

위험한 운동에
많이 가담했으니까
어쩔 수 없지.

살아 있어도
국내에는
못 들어올 거야.

그이도 참. 바보라니까. 나한테 말을 하면 좋았을 텐데.

아무리 그래도, 내가 무슨 꿩 대신 닭 잡은 듯 어영부영 결혼한 것 같잖니.

괜히 나만 나쁜 사람 만들고 말이야. 정말이지….

하하….

불안하니까 말하기 힘드셨을 거예요.

그런데 아까 그 사람,

그 남자랑 닮긴 했어.

그래도 지금 사랑하는 건 네 아빠니까.

엄마도 감상에 빠질 때가 있잖아. 그건 좀 이해해 주렴.

당신,
나랑 얘기 좀
해요.

??

언니.

이거, 말하지 말랬는데.

아빠가 접시 창고에 숨겼어.

아버지….

세상에
영원한 비밀은
없어요….

레리아나.

노아…
난 당신을
사랑하지만…

다 보는 앞에서
사흘 만의 재회를
3년 만의 재회처럼
열정적으로
하고 싶진 않아…

…당신을 위해
선물을
가져왔어.

선물?

불안...

당신이
좋아하는
드래ㅡ

악ㅡ!!

갑자기 또
무슨 소리예요!
내가 그걸
왜 좋아해!

좋아하잖아.

그래서 아담이 주는 선물이야.

그 손수건은 벽난로에 태워 버렸으니 이제 잊어 줄 거라 생각했는데…

SAVE…

그런데…

안 보이는데요, '그게'….

지금 오는 중이야.

그냥 들고 오기는 힘드니까 왕실 마법사들과 거래를 했지.

빙긋

연구용으로 쓴다기에…

머리를 주기로 했거든.

당신 말은…

심지어 머리도 없는 '그게'… 여기로 배달될 거란 말이에요?

싫어, 싫어, 싫어, 싫어, 싫어요—!!

어떻게 하면 돼요? 내가 어떻게 하면 안 가져올 거야…!!

10분만 이대로 있으면.

노아, 뒤에서 다들 쳐다보는 거 느껴지지 않아요?

꺄아악

착각이야.

10분은 너무 길어요.

3일도 길었어.

지금 자기를 3일간 방치했다고…

나 지금 당신한테 '혼자 두지 말라'고 협박당하는 것 같아요.

아닐걸.

아니에요?

맞을 수도 있고.

알았으니까 이제 들어가요. 진짜 뒤통수가 뜨거워…

10분 안 지났는데.

…내 방
볼래요?

어서 가지.

서비스?

10분.

다치지는 않았어요?

멀쩡해.

아버지?!

공작님께서 불편하시지는 않을까 해서 말입니다.

필요한 게 있다면 고용인을 부를 테니 걱정하지 않으셔도 됩니다.

신경 써 주신 덕분에 편하게 지내고 있습니다.

그러시군요….

그러시구나….

벌컥

공작님! 제가 외국에 출장 갔을 때 사 온 쿠키인데…!

공작님! 목이 타지는 않으십니까?!

공작님…!!

…아버지.

저희 그냥 문 열고 있을게요.

그럴래? 네가 원한다면 그래야지!

바끗♡

걱정할 게 있나? 이미….

쉿.

아버지를 지켜 드리죠.

맞다. 그리고 식사 때 꼭 접시를 칭찬해 줘요.

아주 당신을 위해
준비했다는 티가
팍팍 나는 접시가
나올 테니까.

…섬세한
깃털 표현이 아주
뛰어나군요.

식기가 아닌
작품으로도
가치가 높은
물건입니다.

깨뜨림!

찾아헤맴!

운명...

젊은 친구가
안목이 좋군…

테일러 경.

그…
손수건이요.

그녀가
공작저로
가야 했던
사정

계속
같은 곳을
맴도는 것
같은데…

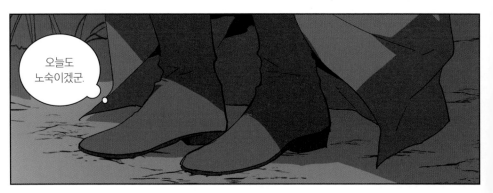

오늘도
노숙이겠군.

왕국을 떠나
그저 동쪽으로만
향한 지 3개월.

레리아나는
일부러 만나지
않았다.

아버지를 통해
편지 한 장을
전해 받았을 뿐.

운명이라…

......?

길을
잃은 게야?

여기 사람이
아닌가 보네.
이 녀석을 보고
놀라는 걸 보면.

예, 코끼리보다
지고 있는 것에
더 놀랐지만….

내 집이자,
가게지.

둘러보고
싶은 게 있다면
얼마든지 봐도
좋고.

마을까지
데려다 줄 테니
타.

기사군.
무슨 검술
수련이라도 하러
가는 모양이지?

군이
말하자면
마음 수련이겠죠.

실연인가?

잘 아십니다.

어떤 상대였길래?

일단 예쁘고,

웃는 게 귀엽고,

활발하고…

됐네, 됐어.

왜 실연당했어?

약혼자가 있었어요.

제 동생은…

다른 여자에게 이용당해서 그녀를 죽이려다 되레 죽어 버렸고.

막장이구만.

그러게 말입니다.

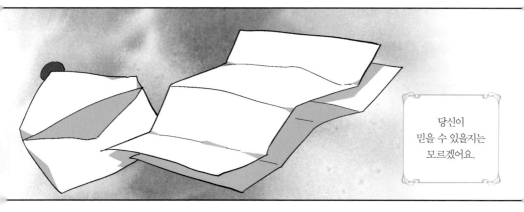

당신이
믿을 수 있을지는
모르겠어요.

운명이란 거,
믿으십니까?

무신론자인가?

천벌을
받겠어.

하하

상대가 없다면
내 딸은 어때?
퍽 예뻐.

참 괜찮은
아이고. 자네랑은
나이 차가
좀 있지만.

그렇습니까?

올해로
쉰아홉 살.

아~.

잘 생각해 봐.

태워 주셔서
정말 감사합니다.
따님은 나중에
기회가 되면
한번 뵙도록
하겠습니다.

아고고…
뭘 주려는 건지는
몰라도, 됐어.

여기까지
태워 주셨으니
사례는 해야죠.

정 그럼
책이나 한 권
사든가.

그럴까요?

이걸로
하겠습니다.

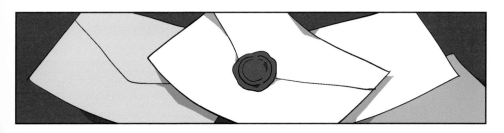

내 답장이 도착할 즈음이면
아마 결혼식 직전이겠군요.
부득이하게 참석하지 못해
미안한 마음뿐이에요.

비비안에 대해서는
걱정해 줘서 고마워요.
아버지도 마음을
많이 추스르셨습니다.

당신이 해 준 말들,
여신이나, 여신이 쓴
운명이라거나…
그 때문에 모든 것이
일어났다는 걸,

그리고
그런 일에 휘말려
비비안이 죽었다는 걸,
솔직히 말해 난 아직
명확하게 이해하긴
힘들어요.

어쩔 수 없는
무신론자라서
그런지….

그렇겠지.

노아와 히이카가
특별한 이들이었을
뿐이야.

그런 사람들을
만난 게
행운이었고.

…그런데 이제는
레리아나 양의 말을
어렴풋이 이해할 수
있을 것 같아요.

우연히
책을 하나
얻었거든요.

친애하는 저스틴.
터무니없다고 여길 수도
있었던 이야기를
이해해 주다니
놀랍고 고마워요.

그런데 물어볼 것이
하나 있어요.
그 책의 제목이 혹
'베아트리스'였나요?

멈칫

그 책이
이 세계에도
떠돌고 있는
건가.

그렇다면
한 번 더
볼 수 있을까?

안 자?

일찍 자야 내일 피곤하지 않을 텐데.

잠이 안 와서요.

당신 일은 다 끝났어요?

응.

저스틴?

친애하는 저스틴.

터무니없다고 여길 수 있었던 이야기를 이해해 주려니 놀랍고 고마워요.
그런데 물어볼 것이 하나 있어요.
그 책의 제목이 혹 '베아트리스' 였나요?

굳이 안 보내도 된다니까.

또 질투한대요!

잠도 안 오는데 당신도 없어서 편지나 끼적거려 본 거예요.

꾹

아,
내가 없어서.

그 짧은 시간을
못 참았다?

내 말뜻은
그런 게
아니라…!

싸악

내가 왔으니
이제 그만해야지.
잘 시간이야.

잠깐, 잠깐!!
이것만
마무리하고요!

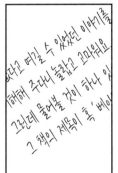

...라고 떠길 수 있었던 이야기...
...해 주시니 놀랍고 고마워요
그런데 물어볼 것이 하나 있...
그 책의 제목이 혹 '베이...

...없다고 떠길 수 있었던 이야기...
...이해해 주시니 놀랍고 고마워요.

쏙

누구없다고 여길 수 ㅆㅆ
이해해 주다니 놀랍고 고마워요.

결혼식은 내일이에요.
결혼을 축하해 줘서 고마워요.
언제나 건강하길 바랍니다.

당신의 친구, 레리아나.

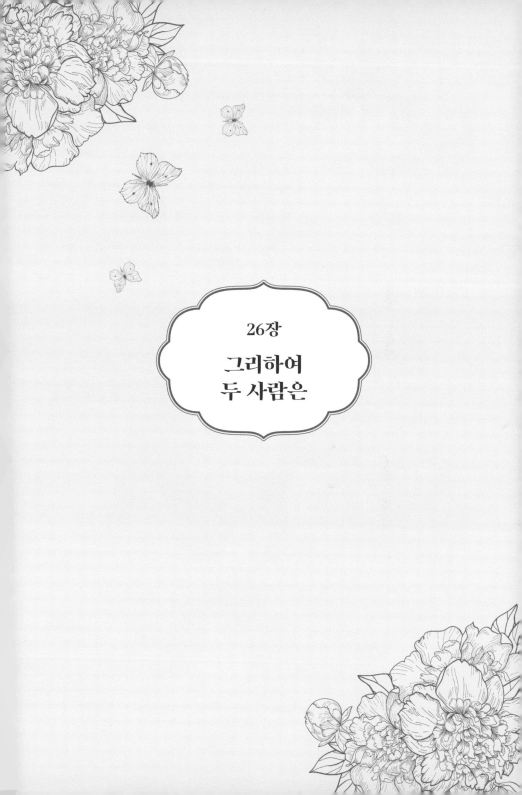

26장

그리하여
두 사람은

여기 있었군.

멍찻

전하.

됐어,
일어나지 마.

레리아나 양은
어떻던가?
괜찮아 보여?

털썩

음….

많이
긴장하셨던데요.

가만히
좀 계세요!

레리아나 양은
이상한 데서
약해진다니까.

하하

한 번뿐인
결혼식이니
그러시겠죠.

……

공작님은 지금
어떠십니까?

응?

잘생겼더군.

외람되지만
혹시 귀에
문제가?

신부 대기실에
못 가는 게
불만인 모양이던데.

부인 될 사람
얼굴도 못 보는
이 무식한 관습을
어떻게 생각해!

내 결혼도
아닌데 나보고
뭐 어쩌라고요….

공작님도
많이 변하셨죠.

구질구질하게
구는 대신
바람피울 걱정은
없잖나.

구질구질한
건…

괜찮나?

둘이
행복해 보이니
됐지.

내 코가
석 자다.

내가 여기까지 와서 네 잔소리를 들어야겠느냐!

까짓 주례. 나 혼자서도 충분하다니까 말들이 많아!

주례랍시고 신랑 저주를 할까 봐 그렇죠!!

되었다! 따라오지 마!

어딜 가시는데요! 자리를 멋대로 비우시면 안 됩니다!

성하…!

오늘은
날이 좋아.

저벅

덜컥

날이 좋아서
다행이에요.

그렇죠?

그러게 말이에요.
조금 걱정했는데.

어쩜, 자기 오늘 너무 예쁘다.

지금까지 본 신부들 중에 제일 예쁜 것 같아요.

떨려요?

과찬이에요.

. . . .

심장이 입으로 튀어나올 것 같아요.

원래 그래요. ^^

닉, 저희 어머니랑 같은 말씀을 하시네요.

믿어요. 어머니 말씀은 대개 옳은 법이잖아.

그래도 얼굴이
확 피었네.

약혼식 때와는
달리 행복해
보여서 다행이에요.
마음 놓았어.

약혼식
때요?

그때 나는 무슨,
자기가 도살장에라도
끌려가는 줄
알았잖아.

제가
그랬나요….

그때는
그랬을 수도
있지.

계약으로 시작된
불안정한
관계였으니까.

그때는
이렇게 되리라고는
상상도 못 했는데.

팔락

이제
가야죠.

심호흡,
심호흡.

아.

좋은 날이다.

또 시작하는 건
아니겠지….

결혼
축하드립니다—!!

그녀가
공작저로
가야 했던
사정

레리아나,
고모님.

날이 어두워져서
곧 추워질 테니
고모님도 어서
들어가시지요.

말만
번지르르하지
품에 넣고 가두는
꼴이 영락없는
과보호구나.

이야기
좀 하면
닳는다던?

네...

어휴..

243

그래, 신혼이니 빠져 줘야지. 즐거운 시간 보내렴.

조심히 들어가세요…

우리도 들어가지.

네.

노아.

어릴 때 그렇게 고집이 셌다면서요.

…누구한테 들었어?

고모님께서….

시고모님.

오자마자 제 남편은 버려 두고 허구한 날 둘이 같이 다닐 때부터 말렸어야 했는데.

따지자면 시어머니 같은 사람인데 불편하지도 않나?

고모님도 그렇게 아무나 옆에 들이는 성격은 아니건만.

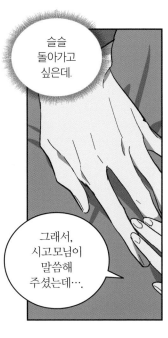

슬슬 돌아가고 싶은데.

그래서, 시고모님이 말씀해 주셨는데….

수도에서 연락이 왔다고 할까? 그리고 가는 길에 다른 곳으로….

요새 경계가 심해져서 쉽게 넘어오질 않으니.

레리아나가 의심하지 않도록….

우리 아이는 누구 닮았으면 좋겠어요?

…글쎄?

생각 안 해
봤어요?

응.

아이에 대해…
깊게 생각해
본 적 없다.
아이는 곧 후계자고,
작위를 물려주려면
낳는 것도 의무니까.

그래도…

레리아나를 닮으면
사랑스러울지도
모르겠어. 눈동자가
연녹색이어도 좋고.

그런데 갑자기 왜? 혹시?

아니, 그런 건 아니고요.

그냥 당신 어릴 때 얘기를 들으니까 궁금해서.

날 닮지 않은 아이였으면 좋겠는데.

왜요? 귀엽던데.

노아,

난 우리 아이가 당신을 닮았으면 좋겠어.

노아를 닮는다면
여자아이든, 남자아이든
아주 예쁠 테니까.

아,
성격은 빼고.

주인님,
들어가겠습니다.

거기
두고 가.

레리아나.

난….

당신이 아프면
어떻게 해야 할지
모르겠어.

노아.

난 입덧한 거예요.
그것도 딱 한 번.

입덧에
좋다고 해서
구해 온 거야.

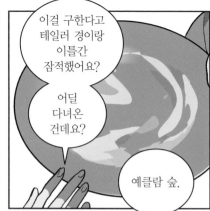

이걸 구한다고
테일러 경이랑
이틀간
잠적했어요?

어딜
다녀온
건데요?

예클람 숲.

출입 금지 구역

시,
싫어요.

괜찮아.
몸에 좋은
거야.

거기 위험해서
출입이 금지된
곳이잖아요!

안 괜찮아요!
딱 봐도 이상하잖아.
이거 뭐예요?

정체도
모르는 건
못 먹어!

......

나도 이렇게까지 하고 싶진 않았는데.

안 하면 되잖아요.

스윽

팀

싫어!!

이대로는
못 살아!!

계셔?!

안 계셔!

어떡해!
마님이…

마님이…!!

집을
나가셨잖아!!

이상은 없어
보이는구나.

아이나 너나,
둘 다 건강해.

다행이에요.

여긴 정말
조용하네요.

그렇지.

원래는
신관도 성기사도
많은 곳이었지만,

내가 사람들을
싫어하는 통에
기거하는 인원을
줄였다.

아주
조용해져서
마음에 들었어.

이제까지는.

데이비스
신관님은요?

그놈도
수석 신관이고,
맡은 신전이 있으니
나만 따라다닐
수는 없지.

아…

이곳으로는
내가 부르지 않으면
사람이 들어오지
않으니,

필요한 게
있다면 내게
말하면 된다.

그럼 줄곧
여기에 혼자
계시는 건가요?

그렇지.

……

외롭지
않으세요?

외로울 일이
뭐가 있느냐.

나는
혼자가 편해.

그러신가요…

그럼 전
왜 손녀로
삼으셨어요?

고위
신관분들은 입양을
많이 한다면서요.
왜 지금까지
아무도 들이지
않으셨어요?

그럴
필요가
없으니까.

성서를
번역할 수 있어서?
그것뿐인가요?

끄응

자주 놀러
올게요.

아이도
같이.

신전이
시끄러워지겠구나.

아이는
시끄러워서
싫으세요?

그렇게
싫은 건
아니다.

뭐, 조금은
시끄러워도
괜찮지.

다행이네요.

그놈은 잘해 주고?

지나치게요.

으!

그놈이 그리 귀찮게 굴 줄 알았지.

또 와도 된다.

그놈이 귀찮게 굴 때든, 보기 싫어질 때든, 못되게 굴 때든, 오고 싶을 때엔 언제나.

엄청나게 저격하고 있어…

다음에는,

할아버지가 보고 싶을 때 올게요.

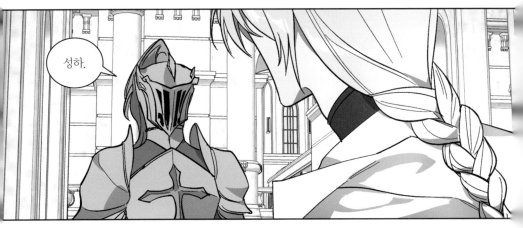

성하.

소곤

쑤악

레리아나, 잠시 여기 있거라. 너는 여기서 레리아나를 지키고.

네.

괴한인가요?

네?

검은 머리에, 회색 머리. 둘?

그게…

시아트리히를 믿는 게 아니었어. 고작 바둑에 넘어가 줄 리 없지.

원나이트 부인, 여기 계시는 게…

따라오지 않으셔도 돼요.

그건 안 돼.

어디 있는지 이미 알았다면 도망치는 게 나아.

무슨―

…여기 있는지
어떻게 알았어요?
전하께서 말씀해
주신 거예요?

그냥 알아.

매번
그러더라.

관광은
잘했어?

가출한 건데요.
편지 썼잖아요.
귀찮으니
찾지 말라고.

찾지
마세요

못 봤어.

※거짓말

걱정돼서 그랬어.
지금까지
입덧 같은 건
안 했으니까.

임신하면
할 수도 있지!

응.

앞으로 내가 싫다고 하면 강제로 먹이지 마세요.

그럼 이제 집으로 돌아올 건가?

오늘은 그냥 여기서 잘 거예요.

당신들 너무 성가셔.

그러지 않는 편이 좋을 것 같은데.

왜요?

당신이 이대로 있으면 신전이 점점 위험해지잖아.

전속으로 갚다!

잡아!

넘어가게 하지 마라!

절컹

감히 내 신전에 무단 침입을 해?

죄송해요, 할아버지. 괜히 저 때문에 소동이 일어서.

멋대로 쳐들어온 저놈 잘못이지. 괜찮으니 또 오거라.

그럼 다음번에는 레리아나와 함께 정식으로 찾아뵙겠습니다.

신전이
시끄러워지겠어.

아리아
아가씨요?

아가씨라면
로이드 집사님
따라서 저쪽으로
가시던데요.

끝 방 쪽?
갠 왜 그리
로이드를
좋아해?

잘 걷지도
못하면서
이리저리 잘도
돌아다니네.

애들은
걸어다니기
시작하면
그렇더라고요.

다음부터는
잘 시간에는
좀 붙잡아 줘.

그럴게요.

께익

아리아.

엄마?

엄마가 방에 가만히 있으라고 했어요, 안 했어요?

했어요!

당당하게 했어요, 라니… 얜 갈수록 노아를 닮아 가네.

유모를 부를까요?

괜찮아, 그냥 내가—

이리 줘. 내가 재울게.

노아.

그럼 재우고
서재로 올래요?
재단 일로 상의
할 게 있는데.

응,
가 있어.

아빠!

안 잘 거야?

나, 책!

「어깨를 치고 간
남자를 향해 그녀가
고개를 돌렸다.」

「눈이 마주치자
그가 입을 열었다.
"실례했습니다."」

왜 또?
지금 가고
있다니까.

얼마나
걸리는데?

음,
한 30분?

저기 봐,
모델인가?

주변이
왜 이렇게
시끄러워?

배우 아냐?

몰라. 근처에
연예인이라도
왔나.

오빠, 나 데리러 올래? 여기 학교 앞 사거리인데.

강남이 제 집이지, 아주. 그럴 거면 왜 전화했냐?

오빠가 말이다. 그러고는 싶은데 지금 강남이야.

네가 재수생 벗어났다고 살판난 듯 늦게까지 돌아다니니까 그런 거 아냐.

요즘 세상이 어떤 세상인데. 위험하게시리.

아, 알겠어. 오늘은 바로 들어갈 거야.

엄마 걱정하시니까 엄마한테도 연락하고.

응. 오빠는 언제—

아, 죄송합니다.

뚝.

……?

그녀가
공작저로
가야 했던
사정

후기

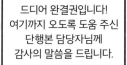

드디어 완결권입니다!
여기까지 오도록 도움 주신
단행본 담당자님께
감사의 말씀을 드립니다.

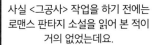

사실 <그공사> 작업을 하기 전에는
로맨스 판타지 소설을 읽어 본 적이
거의 없었는데요.

이러이러한
작품인데요.

생각없음

그렇군요.

원작 한번
읽어 봐야지.

재밌어······.

앉은 자리에서 끝까지
다 읽어 버렸을 정도로
정말 매력적인 작품이라
단번에 반해 버렸습니다.

첫 연재라 이래저래
우여곡절이 많았지만

*2주 2회 마감으로 땡기는
실시간 세이브!*

이건 보통
세이브가 없다고 하죠.

2개월 휴재!
물론 휴재 기간 동안
단행본 작업과
다음 시즌 표지,
다음 시즌 세이브를
모두 쌓는다!

4시즌까지 반복

임종······.

다 좋은 경험이
되었습니다.

악!!!
이게 뭐야.

단행본 수정 중

*결혼한다고
눈에 멜로가
가득 꼈어.*

완결 얼마
안 남았다고
내가 미쳐
버렸나.

기겁

수정되었습니다.

작품을 함께
만들어 주신 담당자님들과
독자님들 감사합니다.

**언젠가 다른 작품으로
다시 만나요!**

그녀가 공작저로 가야 했던 사정 9

ⓒ 고래, 밀차 2017 / D&C WEBTOON Biz

초판 발행 2023년 8월 2일

만화 고래
원작 밀차

펴낸이 이왕호
본부장 곽혜은
편집팀장 장혜경
책임편집 장혜경
표지 디자인 손현주
내지 디자인 (주)디자인프린웍스

국제업무 박진해 김수지 전은지 유자영 박이서 남궁명일
온라인 마케팅 박선혜 김경태 박서희
영업 조은걸
관리 채영은
물류 최준혁

펴낸곳 (주)디앤씨웹툰비즈
출판등록 2020년 12월 9일 제25100-2020-000093호
주소 08390 서울시 구로구 디지털로26길 123 지플러스타워 1305~8호
대표전화 (02)853-0360 **팩스** (02)853-0361
전자우편 book@dncwebtoonbiz.com
블로그 blog.naver.com/dncent

ISBN 979-11-6777-112-4 07810
　　　　979-11-973038-0-7(set)

잘못된 책은 구매처에서 교환해 드립니다.